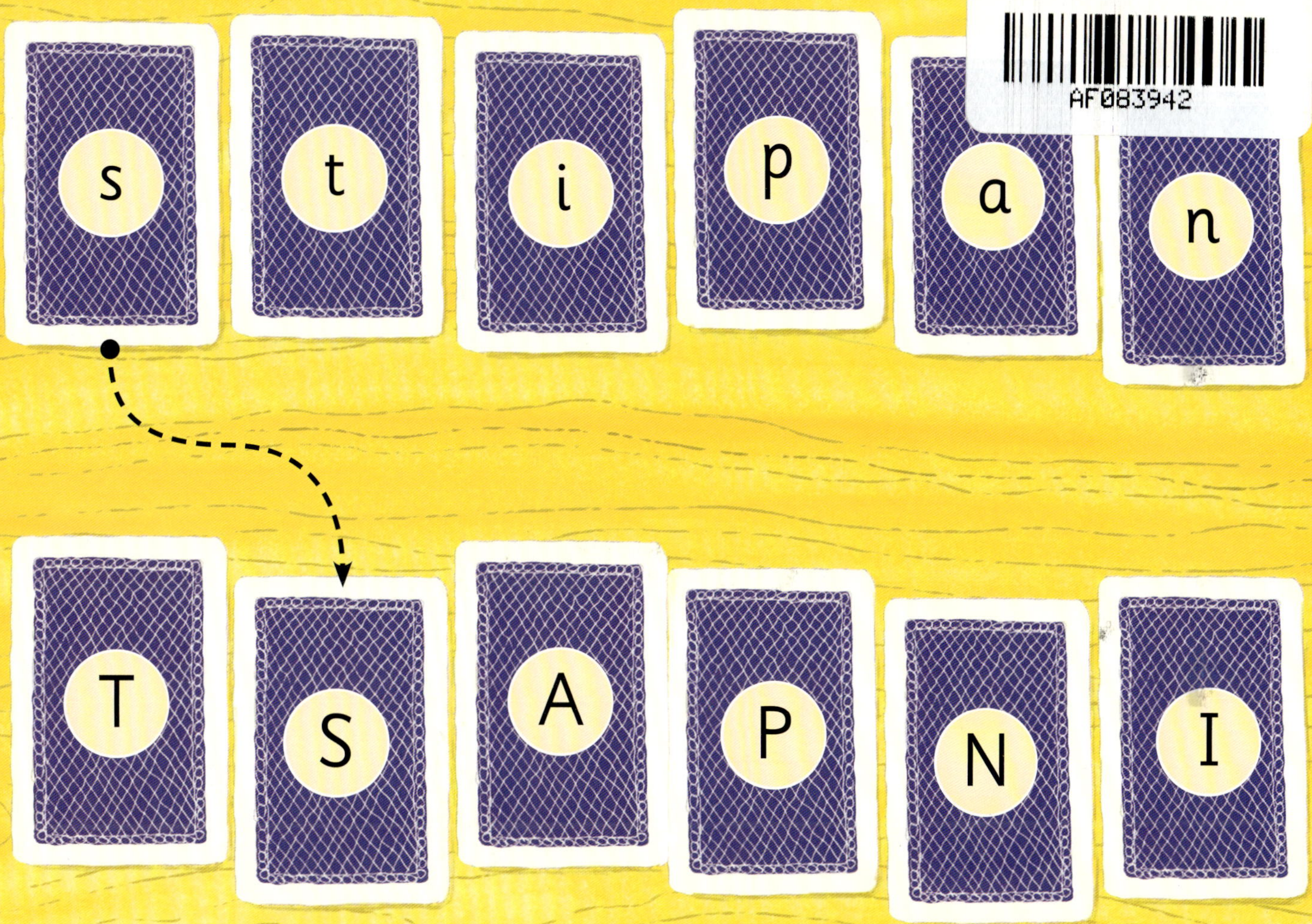
s t i p a n
T S A P N I

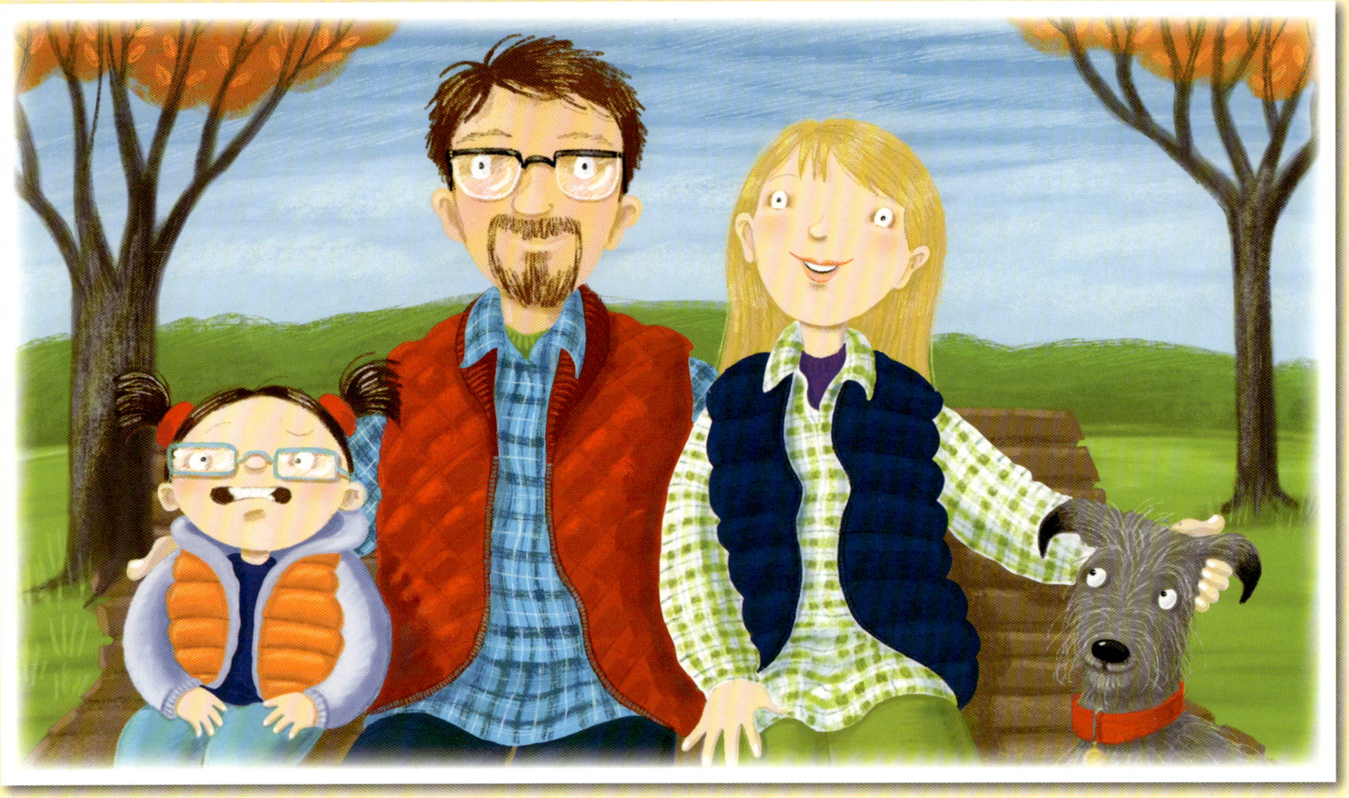

Pip Stan Pat Tips

Pat snips.

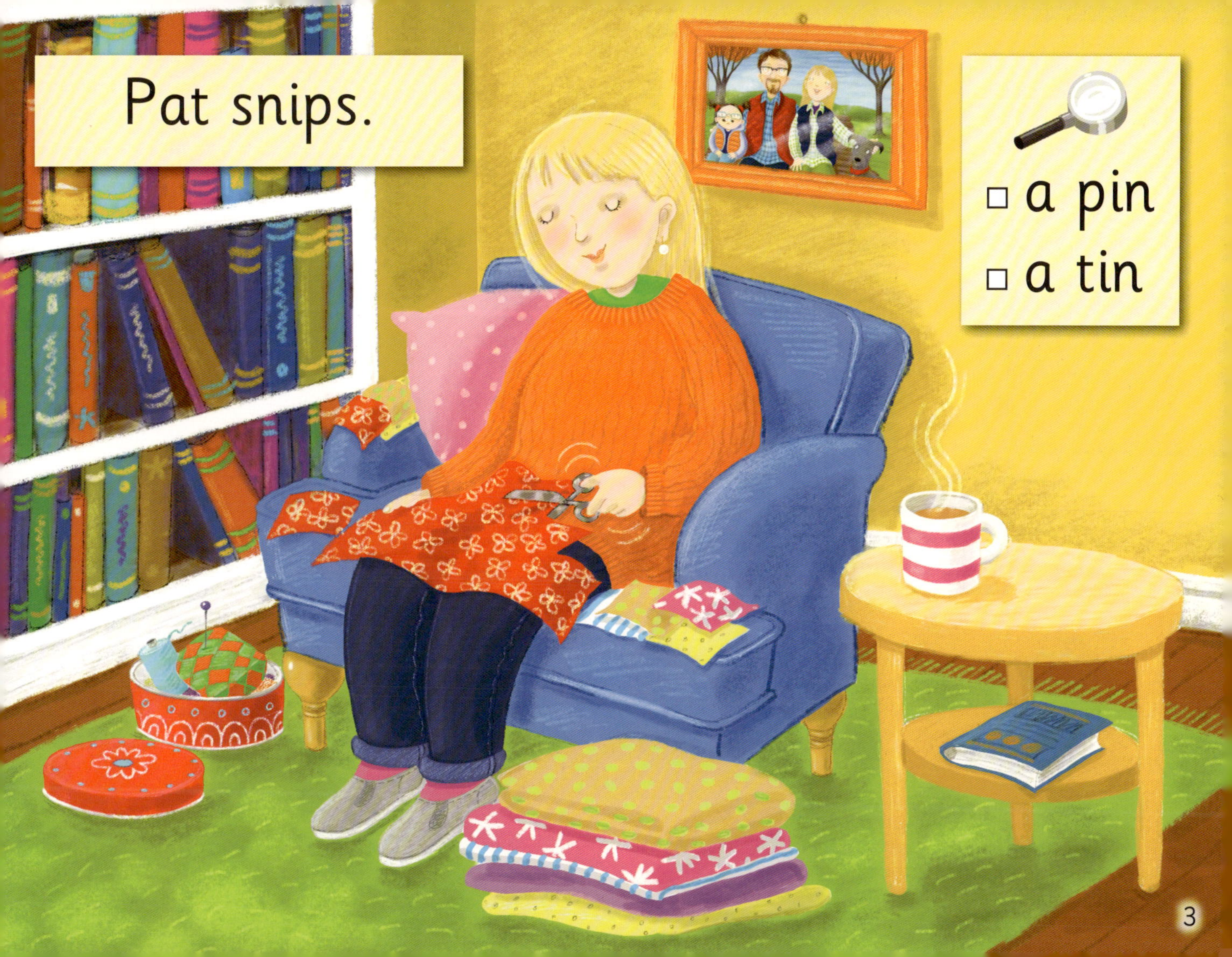

- ☐ a pin
- ☐ a tin

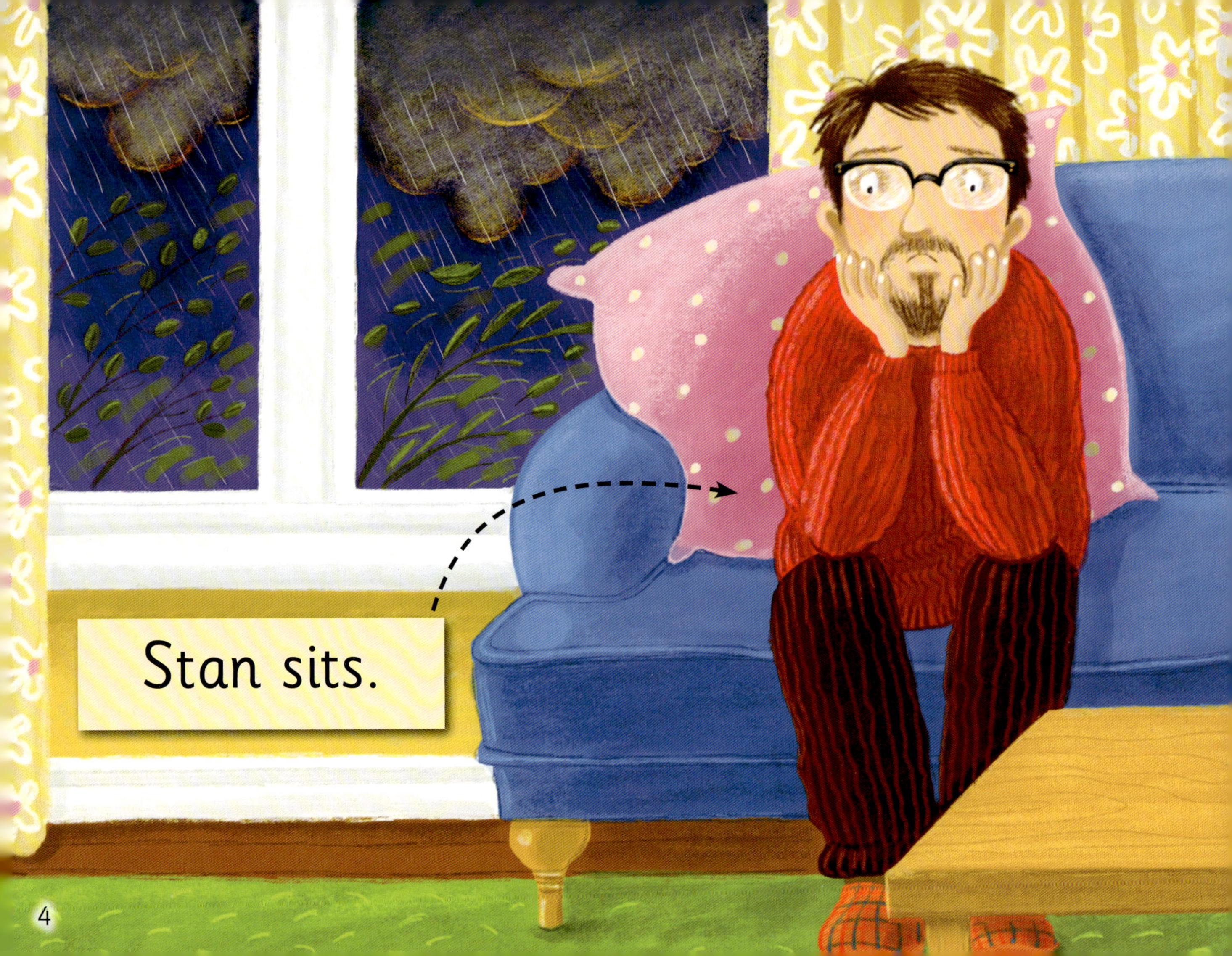

Stan sits.

Pip sits.

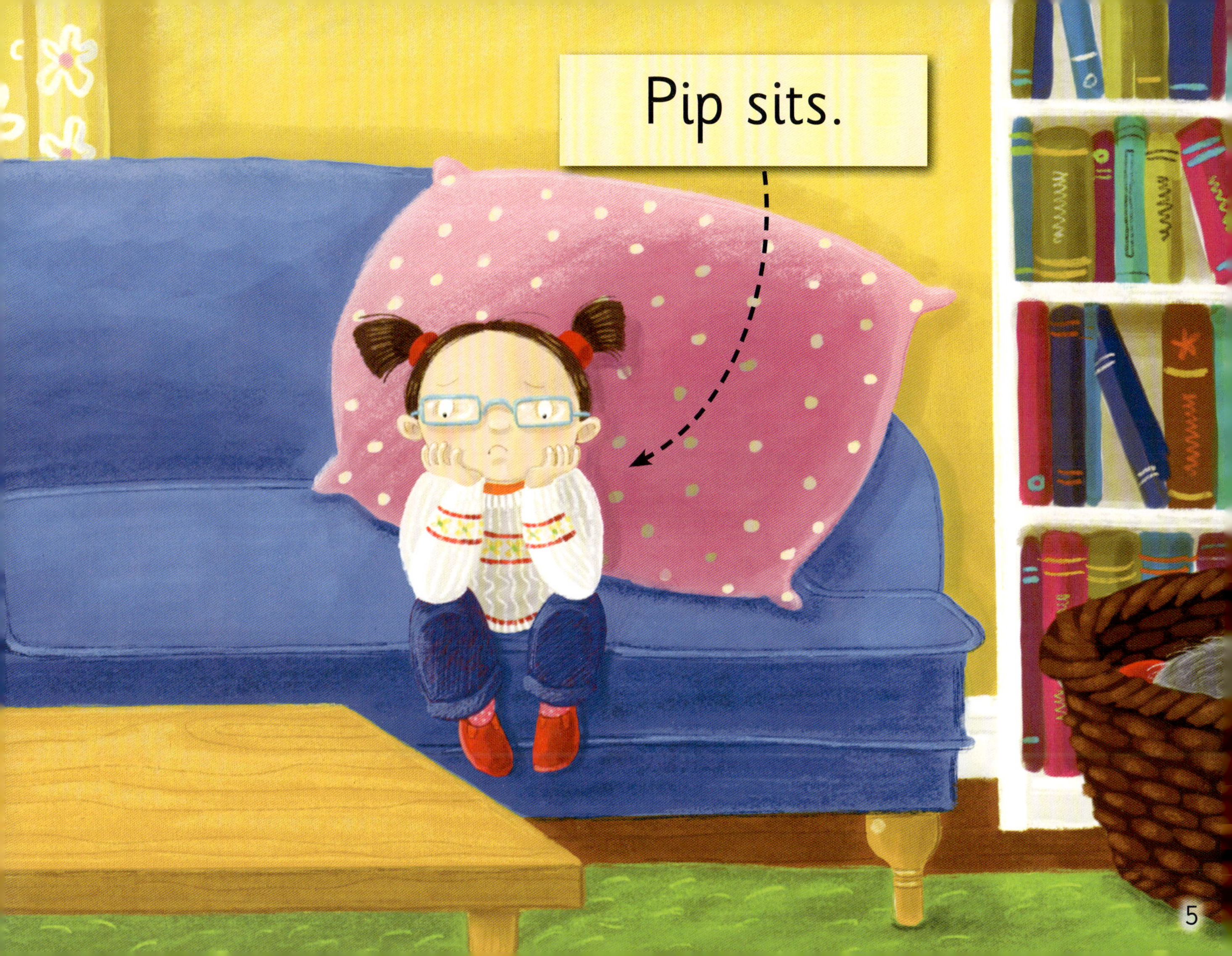

Tips naps.

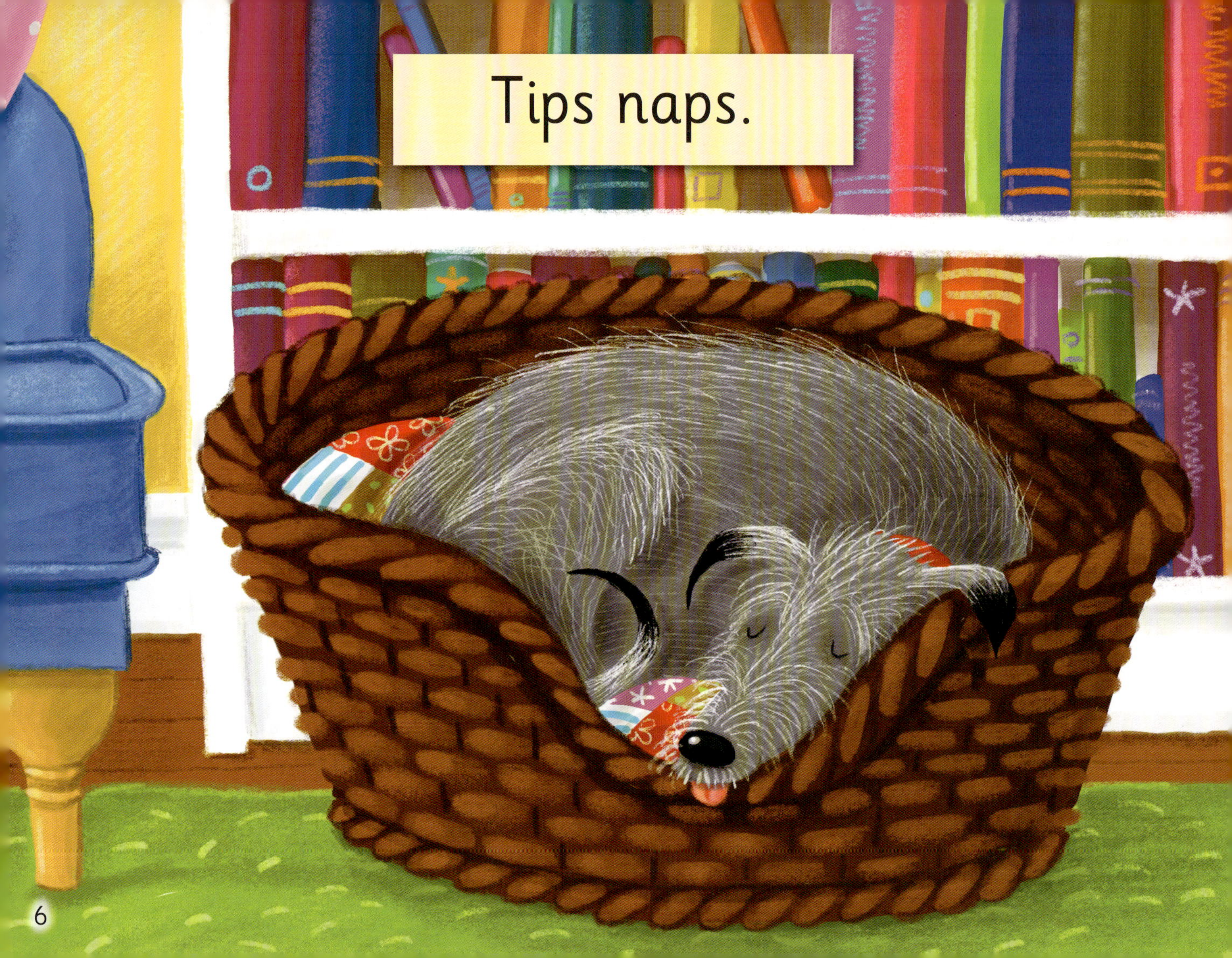

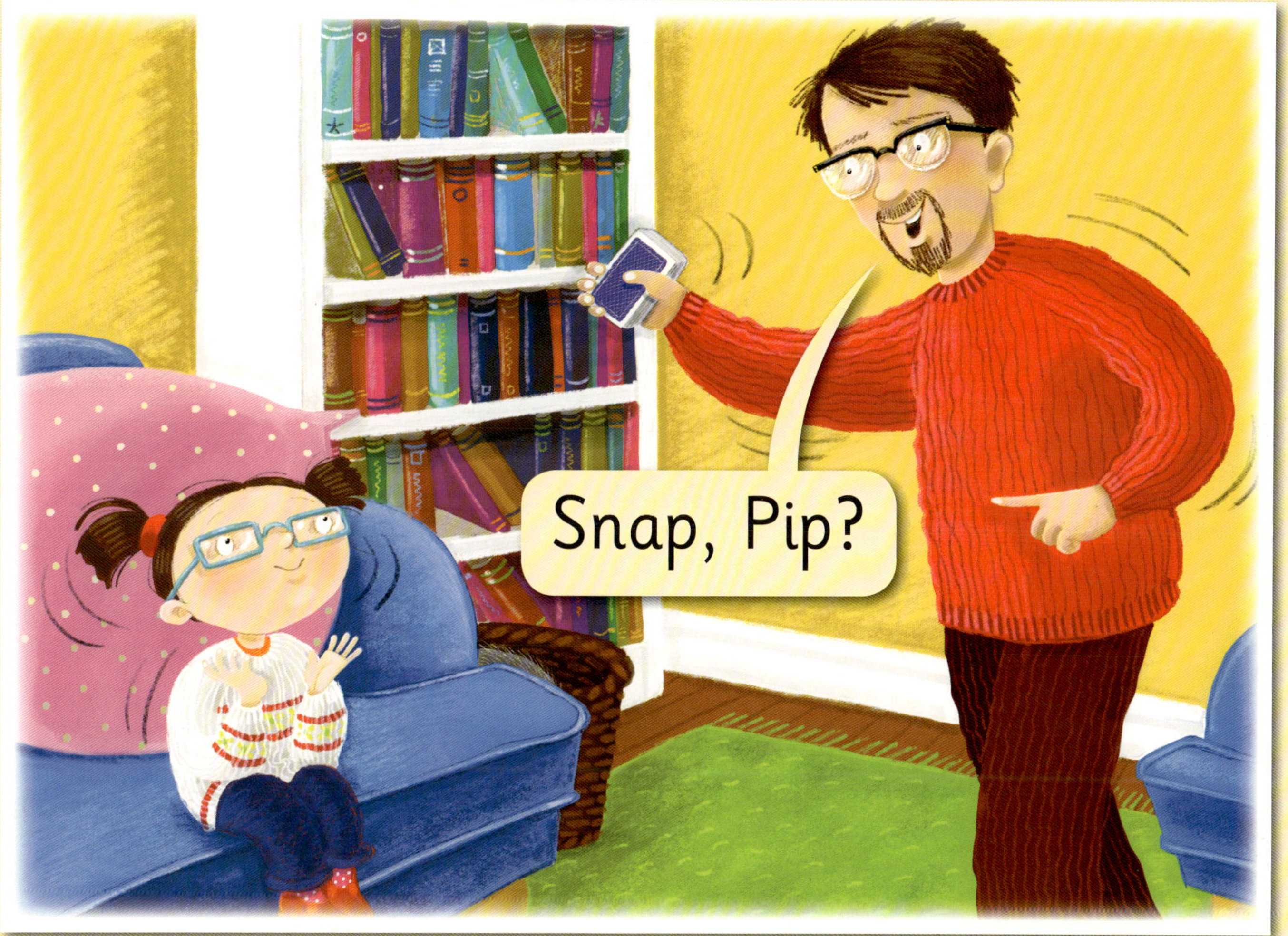
Snap, Pip?

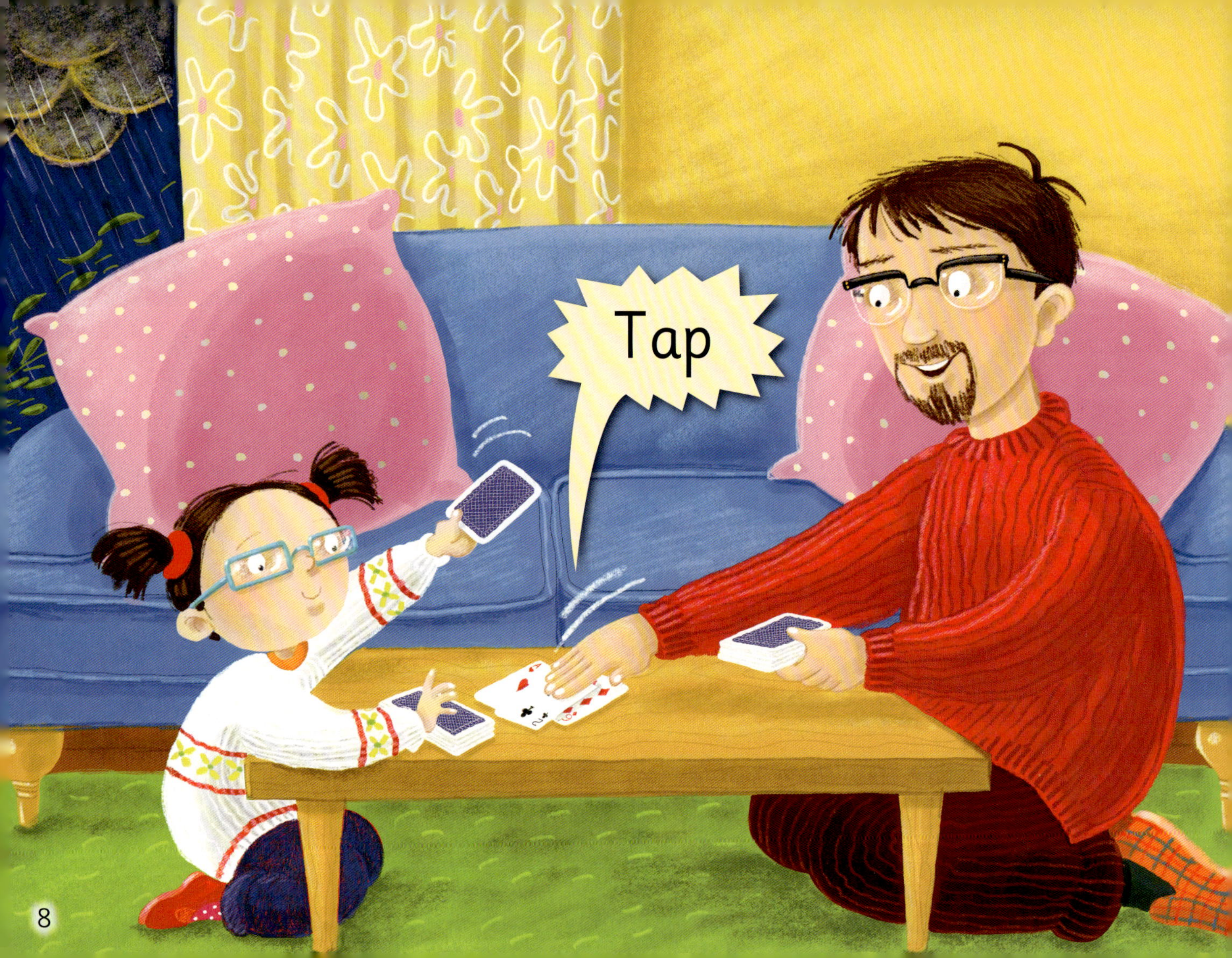
Tap

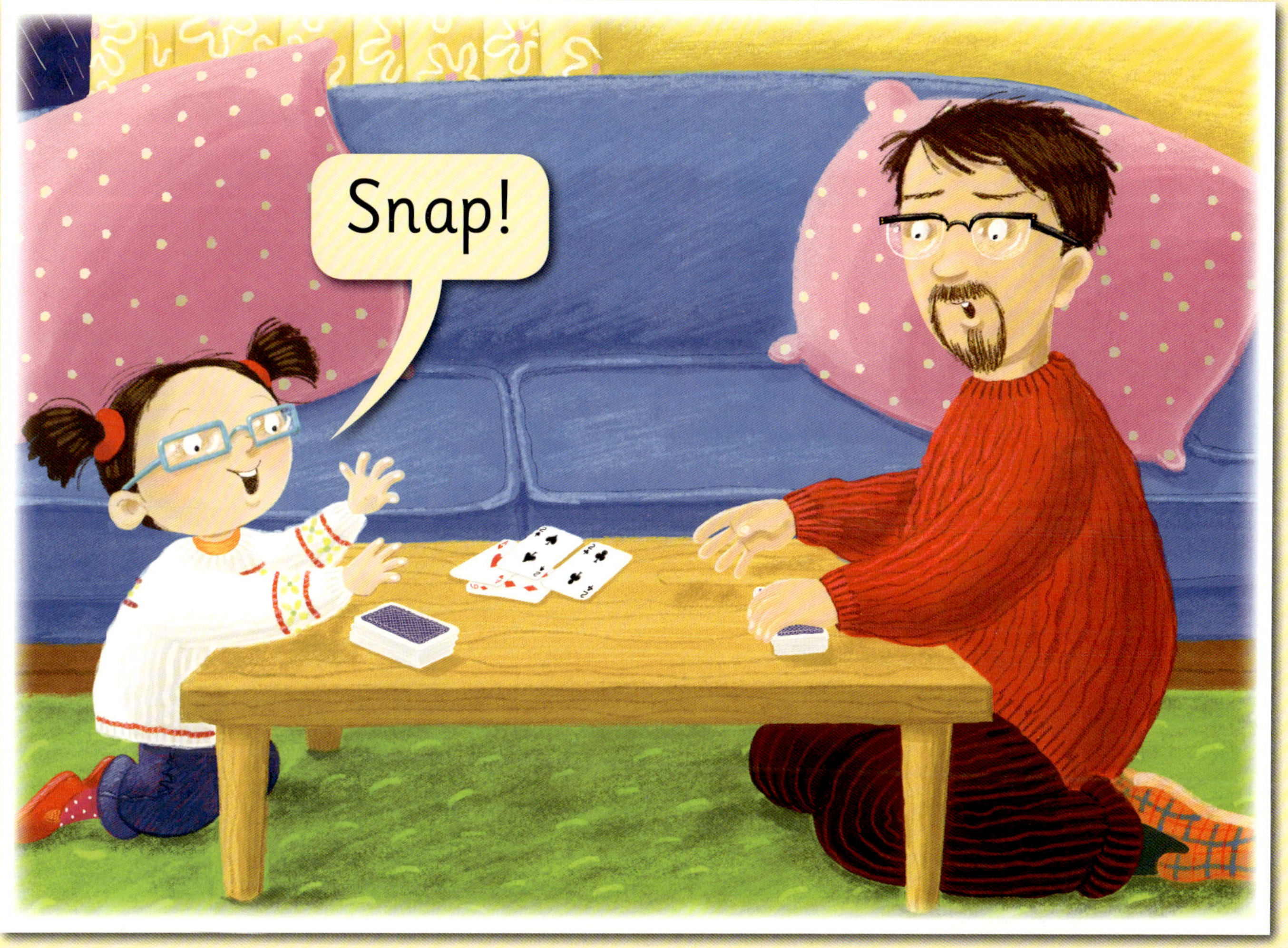
Snap!

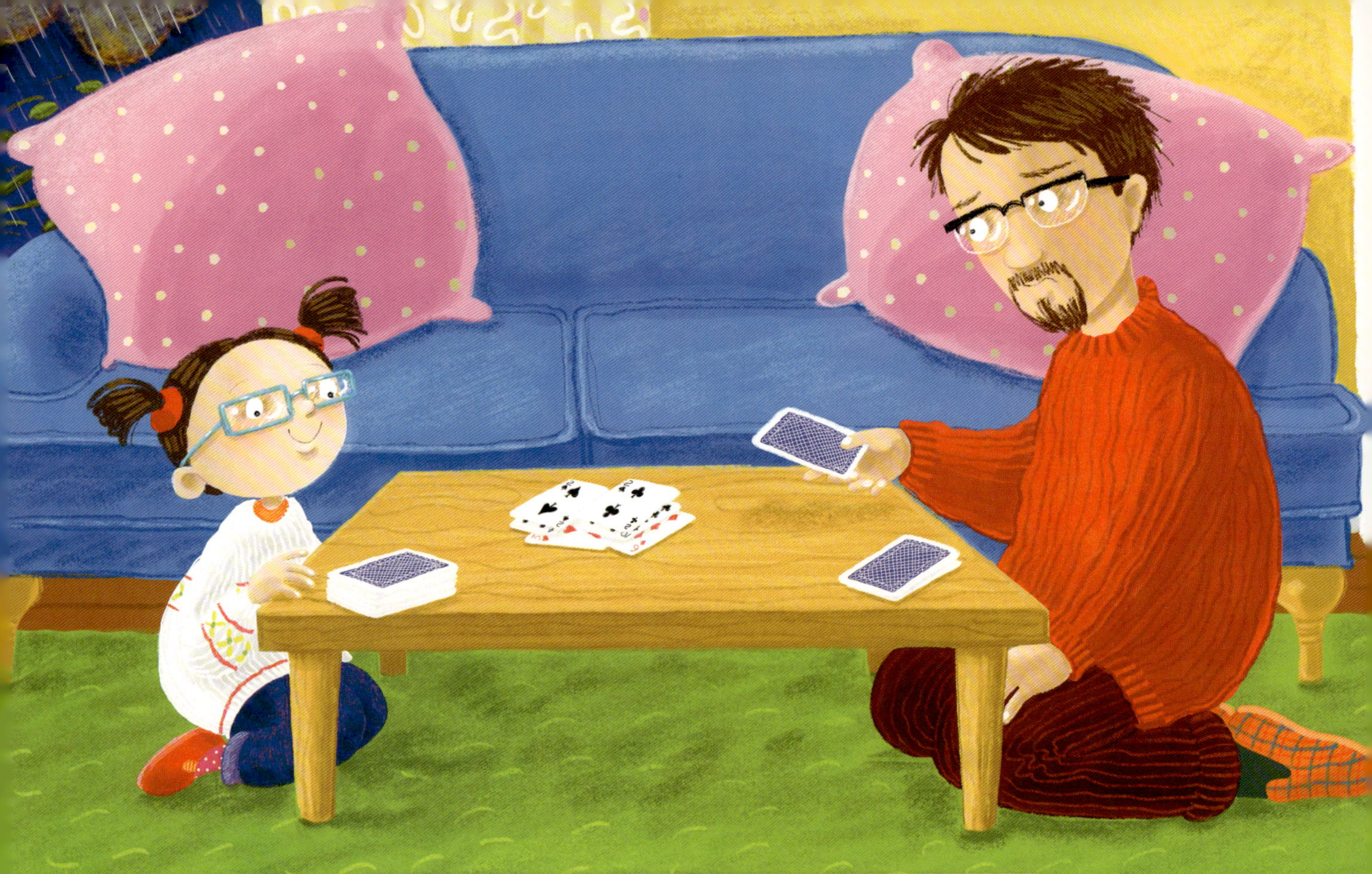

Tap... tap... tap...

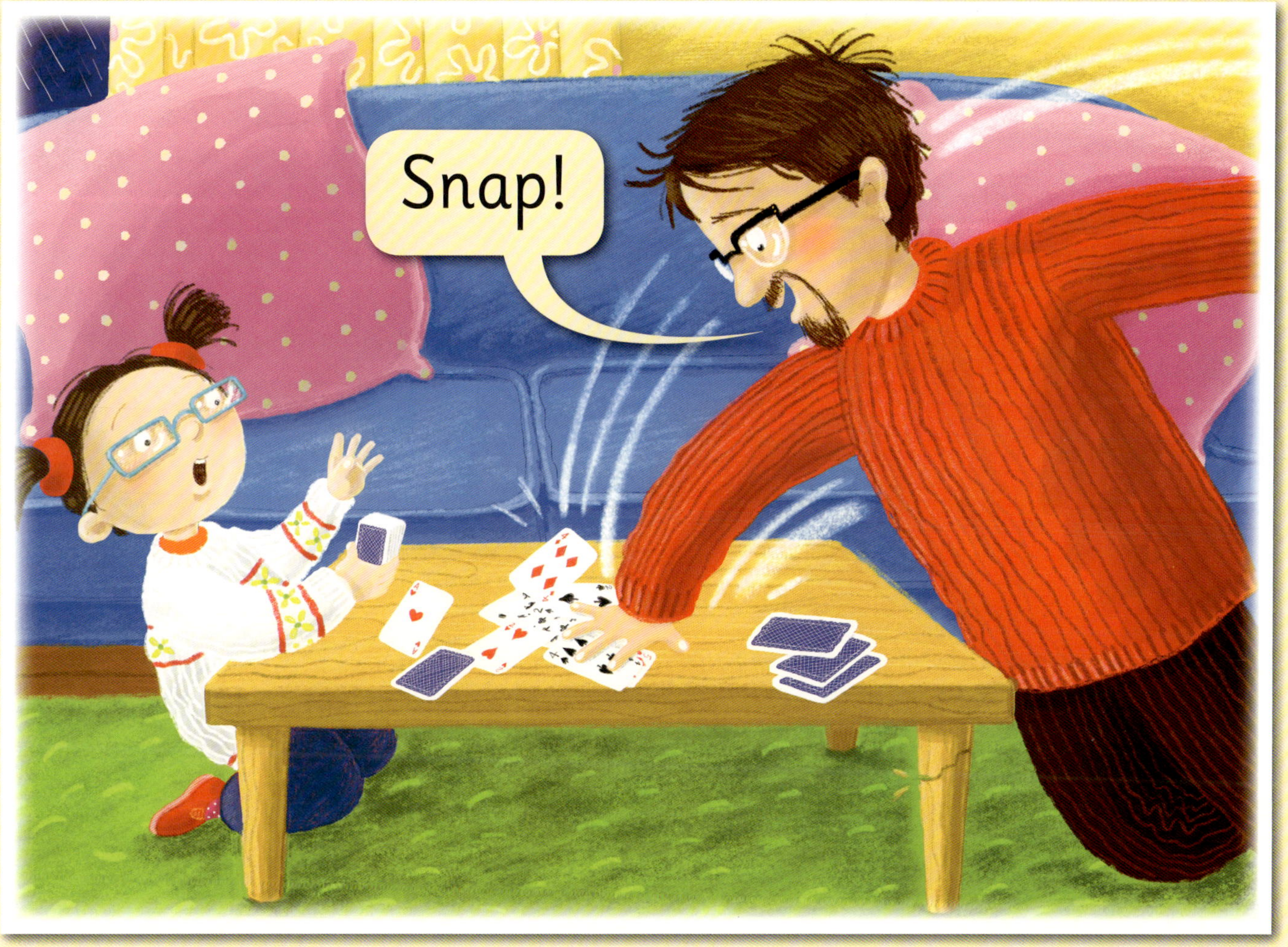
Snap!

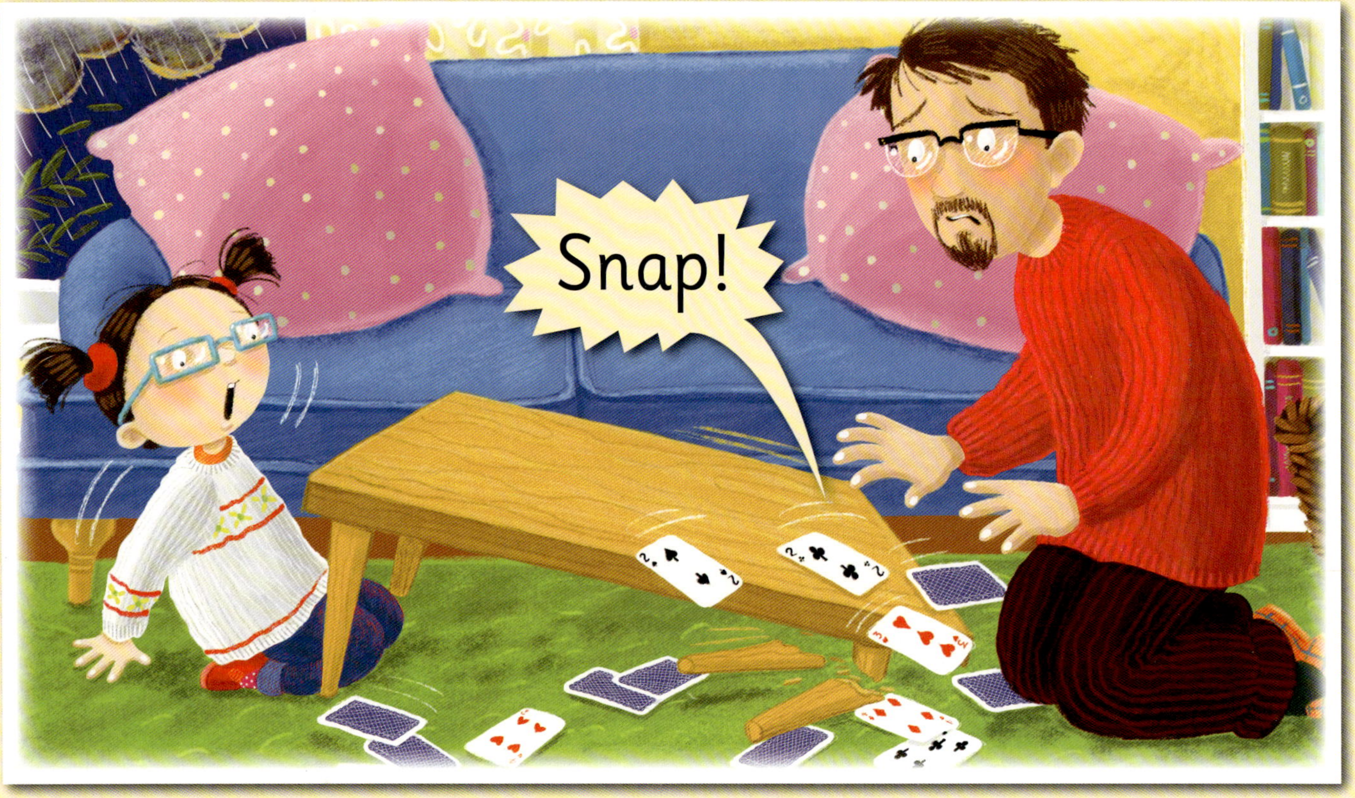

Tip!